D1626822

LE LABORATOIRE
du SOMMEIL

Éditions
Le Pommier

Après avoir fait les Arts décoratifs de Strasbourg, **Aurélien Débat** décide de travailler pour l'édition et la presse jeunesse. Il collabore aujourd'hui avec Milan, Actes Sud Junior, Bayard... Il a déjà illustré la Minipomme *Découvrir la vie extraterrestre*.

Sophie Schwartz étudie le fonctionnement du cerveau humain. Ses recherches portent sur la relation entre le sommeil, la mémoire et les rêves. Elle s'intéresse aussi aux liens entre science et art.

Neurologue, grande rêveuse et petite dormeuse, **Irina Constantinescu** rédige une thèse sur le sommeil au département de Neurosciences de l'Université de Genève sous la direction de Sophie Schwartz.

D000 305 210

Ramadan ○ **Yann** ○ **Inès** ○ **Chloé** ○ **Anis** ○ **Farha** ○ **Enza** ○ **Mamaye** ○ **Rayan** ○ **Riad** ○ **Sarah** ○ **Nacer** ○ **Siga** ○ **Cyril** ○ **Chérine** ○ **Foulémata** ○ **Nasser** ○ **Kevin** ○ **Linsay** ○ **Sofiane** ○ **Rico** ○ **Abdoullah** ○ **Yasmine** ○ **Julian** ○ **Jovan** ○ **Bastien** ○ **Thessa**

Conception graphique et mise en pages : Isabelle Dumontaux
Relecture : Valérie Gautheron

© Le Pommier 2009
ISBN : 978-2-7465-0414-1
239, rue Saint-Jacques
75005 Paris
www.editions-lepommier.fr

LE LABORATOIRE du SOMMEIL

il était une 🍎

Les définitions des mots en **gras** se trouvent
dans les encadrés ou dans le lexique (pages 51-53).

Vincent
Le plus timide et émotif
de tous

Suzanne
Petite, espiègle et rieuse

Philomène
À la fois rêveuse et curieuse...

Elsa
Émerveillée par tout

Mirabilis
La grande professeure
du sommeil

Victor
Rapide, réfléchi, il veut
tout comprendre !

Olivier
Le plus énergique des six

Lundi, fin du mois de mai. Dans le parc, les vieux châtaigniers sont encore en fleur et les six inséparables amis ont rendez-vous : le grand Victor, Vincent et Olivier, les deux frères, Suzanne, Philomène et Elsa, les trois cousines. C'est un jour spécial car, aujourd'hui, ils ne vont pas à l'école, mais vont visiter la grande maison où « on étudie le sommeil ». C'est là que travaillent la fameuse professeure Mirabilis et ses assistants. C'est là aussi que le professeur Zélig, collègue de Mirabilis, vient parfois pour étudier les rêves. Il est très facile de reconnaître les deux professeurs, car Zélig circule toujours sur un vélo rouge et Mirabilis porte d'énormes lunettes en forme d'ailes de papillon qui glissent constamment sur son nez.

La professeure Mirabilis fait des recherches sur le sommeil. Elle est réputée dans toute la ville… car tout le monde aime avoir un bon sommeil ! Les parents des six amis la connaissent bien, car ils participent régulièrement aux séances scientifiques organisées par la professeure et ses collaborateurs dans la spacieuse bibliothèque du laboratoire.

Tous étaient donc enthousiastes quand le directeur de l'école a proposé à ses élèves d'aller visiter le fameux « laboratoire du sommeil ». Pendant trois jours, les enfants vont pouvoir apprendre comment et pourquoi les humains (petits et grands) — mais aussi les animaux — dorment !

Y a-t-il une horloge dans notre cerveau ?

La professeure Mirabilis est venue chercher les enfants dans le parc :

— Bonjour, les enfants, leur dit-elle en souriant derrière ses grandes lunettes.

— Bonjoouur ! répondent les six inséparables.

Mirabilis — Avez-vous passé un bon dimanche ?

— Ouiii ! répondent joyeusement les enfants.

Accompagné de Mirabilis, le petit groupe se dirige immédiatement de l'autre côté du parc, où se trouve le laboratoire du sommeil.

— Qu'avez-vous fait ce dimanche ? reprend Mirabilis en rajustant ses lunettes sur son nez.

Rapide, Victor répond, le premier — Je me suis réveillé plus tard que d'habitude et après, j'ai joué au football.

Les trois cousines, Elsa, la plus petite, Philomène et Suzanne, ajoutent en chœur — Le matin, on s'est réveillées puis on a rendu visite à nos grands-parents et on a mangé une tarte aux pommes avec de la crème Chantilly. Miam !

C'est ensuite au tour d'Olivier et de Vincent de répondre — On s'est réveillés, on a petit-déjeuné, on a lu des livres et on a bricolé ensemble une maquette de bateau pour la fête de l'école dans deux semaines.

Mirabilis — Quelles belles activités, n'est-ce pas ? Et, surtout, très variées ! Pourtant, dans ce que vous dites, il y a une chose commune à tout le monde.

Victor, toujours le plus rapide — C'est clair ! Nous sommes tous amis et nous habitons tous le même quartier !

Sous ses lunettes, la professeure Mirabilis sourit doucement — Oui, c'est tout à fait vrai ! Mais il y a encore une autre chose : vous avez tous dit que vous vous êtes réveillés le matin.

Olivier ouvre grands ses yeux noirs rieurs :

— Ah oui ! Comme on est tous allé au lit pour dormir le soir.

Vincent, le plus timide des deux, regarde son frère :

— Oui, c'est drôle, on dort la nuit, on se réveille le lendemain et ça recommence tous les jours...

Victor, qui aime tout comprendre — Mais, ça ne me paraît pas si évident ! Je me demande bien pourquoi on dort pendant la nuit et pourquoi on est éveillés et actifs pendant la journée...

Mirabilis — En effet, nous suivons ce qu'on appelle des **rythmes**, comme celui du jour et de la nuit, qui est réglé par l'horloge de l'Univers. Mais nous avons aussi tous une horloge à nous qui nous dit quand aller dormir.

La petite Elsa prend la main de la professeure et s'exclame, émerveillée — C'est formidable! On a une horloge dans notre corps qui sonne quand on se réveille et quand on doit dormir?

Le RYTHME CIRCADIEN

Un rythme circadien est un phénomène qui se répète toutes les 24 heures (en latin « circa » signifie « environ » et « dies », « jour »). Chez l'homme, l'alternance éveil/sommeil, la température du corps, la sécrétion de plusieurs hormones, entre autres, obéissent à un rythme circadien.

Mirabilis reprend — Dans notre cerveau, il y a toute une petite région qui est comme un cadran solaire : elle donne l'heure, un peu grâce à la lumière de dehors. C'est elle, l'horloge biologique, qui nous dit quand il faut être actif et quand c'est le moment de dormir. De la même manière, la température de notre corps est contrôlée par l'horloge biologique.

Victor raisonne à haute voix — Ça peut expliquer pourquoi je m'endors le soir quand je suis au chaud dans mon lit.

Mirabilis — C'est juste, Victor, car selon le rythme des températures, on s'endort plus ou moins facilement. Le soir, généralement, la température de notre corps

baisse et on a envie de se mettre bien au chaud ; c'est à ce moment-là qu'on s'endort le plus vite.

Suzanne tourne sa petite tête bouclée vers Mirabilis
— Quelqu'un m'a dit que si je dors bien, je grandis d'un centimètre.

Les garçons rigolent — Comme dans les contes de fées...

Mirabilis cligne rapidement des yeux derrière ses lunettes-papillon — Eh bien, Suzanne a en fait raison ! Quand on dort, notre cerveau fabrique une substance qui s'appelle « **hormone** de croissance » et qui est indispensable pour grandir.

Les trois petites cousines frappent dans leurs mains en rythme — De-main, on sera plus grandes que les garçons, de-main, on sera plus grandes que les garçons, tchic et tchac et tchic et tchac !

Mirabilis plisse ses yeux comme si les ailes de ses lunettes battaient — Ça ne signifie pas que chaque nuit nous grandissons d'un centimètre, car si c'était le cas, nous serions tous des géants !

Les trois petites cousines — De-main, on sera géantes, de-main on sera géantes, tchic-tchic-tchic et tchac...

Toute la petite troupe arrive devant le grand bâtiment du laboratoire du sommeil. Les enfants restent bouche bée devant la porte d'entrée : elle est vraiment… géante ! Les lunettes en forme d'ailes de papillon de Mirabilis semblent elles aussi devenir énormes, comme de vrais papillons prêts à s'envoler de son nez. Philomène réfléchit en regardant la porte qui s'ouvre : c'est vrai, on se croirait presque dans un conte de fées…

Pourquoi, quand on est fatigué, on dort ?

En entrant dans le bâtiment, les enfants sont accueillis par les deux assistants de Mirabilis : Edgar, le vieux technicien, et Lucille, la sympathique assistante qui étudie le sommeil des animaux. Pour que les enfants fassent connaissance avec l'endroit, Mirabilis et ses deux collaborateurs leur montrent d'abord les chambres dans lesquelles on enregistre le sommeil chaque nuit. Les chambres sont très confortables et silencieuses, comme dans un hôtel, avec tout ce qu'il faut pour bien se reposer et, surtout, un lit moelleux. Sur le mur sont disposées de drôles de caméras.

Victor s'interroge — Mais pourquoi y a-t-il toutes ces caméras ?

— C'est pour qu'on puisse regarder la personne qui dort et comment elle bouge pendant son sommeil sans la déranger, explique Edgar.

Suzanne, curieuse, demande — Mais alors les gens doivent dormir avec la lumière allumée pour qu'on puisse filmer ?

Edgar — Tu es maligne, toi ! On a une caméra spéciale qui utilise de la lumière infrarouge que nos yeux ne

voient pas. Grâce à cette caméra, on peut filmer dans le noir sans perturber le dormeur.

En pénétrant dans la plus grande salle du laboratoire, les enfants sont intrigués par les nombreux ordinateurs et tous les appareils compliqués nécessaires pour regarder et analyser le sommeil.

Vincent ne comprend pas — Tout ça pour étudier quand on dort... Mais quand on dort, rien ne se passe ?

Mirabilis — Tu verras plus tard que grâce à ces appareils, on voit qu'il se passe plein de choses dans notre cerveau pendant qu'on dort ! Mais il est l'heure d'aller déjeuner !

Après le délicieux repas de midi, les enfants se sentent soudainement un peu fatigués. Surtout Olivier, qui est bien moins tourbillonnant que d'habitude et dont les yeux sont mi-clos — Je me demande pourquoi quand on est fatigué, on a envie de dormir ?

Mirabilis reste silencieuse un instant puis dit — C'est à cause de l'effet homéostatique. Mais comment vous l'expliquer simplement ?

Elle continue de réfléchir.

Les trois cousines, très contrariées — Oh mais oh ? Statiques ? Non, on n'est pas du tout statiques, nous !

Mirabilis, qui semble ne pas avoir entendu — Voilà ! je sais comment vous expliquer : l'effet homéostatique, c'est comme un sablier plein d'éveil. La partie supérieure du sablier est pleine en début de journée. Plus on avance dans la journée, plus l'éveil s'écoule et plus le sablier se vide. Évidemment, plus il est vide, plus on se sent fatigué et plus on a envie de dormir. C'est pour ça que le soir, après une longue journée, on s'endort vite.

Alors que ses lunettes menacent de tomber, elle continue, imperturbable — Pendant la nuit, le sablier se remplit et le lendemain matin, il est à nouveau plein et on est tout réveillé. C'est ça l'homéostasie !

À ce moment, Edgar entre dans la salle — Excusez-moi, mais les parents des enfants sont déjà arrivés pour les ramener à la maison.

Les enfants s'exclament — Que le temps passe vite !

Comment étudier le sommeil?

Le lendemain matin, après un bon sommeil, les enfants se précipitent dans le hall du laboratoire, prêts à poser mille questions à Mirabilis et à ses collaborateurs. Lucille les emmène dans la grande salle des ordinateurs dans laquelle le sommeil est analysé.

Lucille — Les enfants, comment faites-vous pour savoir si quelqu'un est bien réveillé?

La petite Elsa lève la main — On a les yeux grands ouverts et on regarde partout.

Mirabilis vient d'entrer dans la salle, précédée de ses lunettes qui semblent toujours plus énormes — Très bien, dit-elle, et encore?

Olivier agite ses bras pour mimer ce qu'il dit — On est debout presque tout le temps, on travaille, on parle.

Vincent réfléchit puis ajoute timidement — Donc, notre cerveau travaille très fort pendant le jour et il ne travaille plus pendant la nuit.

Victor — C'est pas logique, si le cerveau ne marche plus, alors on est mort !

Vincent, du tac au tac — Mais alors comment est-ce qu'on peut savoir si notre cerveau est réveillé ou s'il dort ?

Mirabilis — C'est justement ce à quoi sert l'instrument qu'Edgar va vous montrer maintenant.

Edgar, le technicien arrive en tenant dans ses mains un bonnet plein de capteurs colorés accrochés par des fils. Il explique aux enfants qui le regardent curieusement — Ceci n'est pas un chapeau de martien, mais un bonnet spécial qu'on place sur la tête des gens pendant leur sommeil. Les capteurs, qu'on nomme **« électrodes »** enregistrent l'activité électrique des cellules

EN + LES ONDES

Lorsqu'on jette un caillou dans l'eau, les vagues transportent un peu de l'énergie du mouvement qui vient du jet de caillou. C'est la même chose pour les ondes électriques qui transportent l'énergie électrique créée par les neurones dans le cerveau. (Quand l'activité des neurones est synchronisée ou bat le même rythme, alors l'onde est plus grande.) L'énergie électrique traverse les tissus cérébraux et l'os du crâne, ce qui fait qu'on peut enregistrer l'onde électrique grâce à des électrodes collées sur le crâne.

du cerveau, appelées « **neurones** ». Le bonnet est relié à un appareil appelé « **électroencéphalographe** ».

Suzanne reconnaît immédiatement l'appareil — Oui, ma sœur Lili a déjà vu cet appareil avec le professeur Zélig. Il enregistre l'électricité produite par les neurones quand ils parlent entre eux. Les neurones aiment beaucoup parler entre eux alors ça crée des **ondes**, comme des petites ou des plus grandes vagues, qu'on voit ensuite sur un écran d'ordinateur.

Les lunettes de Mirabilis sautent gaiement sur son nez — Bravo, quelle mémoire !

Philomène, qui a l'air rêveuse mais a bien les pieds sur terre — Mais ça ne nous dit pas quand notre cerveau est réveillé et quand il dort !

Mirabilis — C'est très simple. Quand on est éveillé, les neurones discutent beaucoup entre eux. On dit que l'activité du cerveau est très intense et l'électroencéphalographe enregistre des ondes très rapides. Mais quand on s'endort, les ondes deviennent de plus en plus lentes.

Victor, réfléchissant à haute voix — Mais quand on rêve, le cerveau doit quand même bien être actif, non ?

Mirabilis — Exact, monsieur Logique ! Quand on rêve, le cerveau est comme réveillé : les neurones discutent fort, les yeux bougent, mais le corps est complètement immobile.

Olivier l'interrompt — Alors il y a différentes sortes de sommeil ?

Mirabilis — Exactement ! Et c'est ce qu'on appelle des « **stades** » de sommeil. Pour étudier les stades du sommeil, il faut enregistrer l'activité du cerveau avec le bonnet de l'électroencéphalographe, mais on met aussi des électrodes vers les yeux pour détecter leurs mouvements et sur les muscles du menton pour mesurer leur activité. Et si on faisait une petite démonstration ! Qui est volontaire ?

Les lunettes de Mirabilis ne cessent pas de glisser sur son nez, mais la professeure ne semble pas y faire

attention, car elle regarde attentivement comment Edgar et Lucille placent le bonnet avec les électrodes sur la tête du grand Victor qui s'est porté volontaire. Edgar et Lucille collent aussi des électrodes autour de ses yeux et sur son menton.

Quand tout est prêt, Victor s'allonge confortablement sur le lit de la salle d'enregistrement puis ferme les yeux. Les enfants regardent les petites vagues rapides qui défilent sur l'écran : c'est bien joli, l'activité des neurones de Victor.

Pour Vincent, tout n'est pas très clair — Alors notre cerveau dort plus ou moins pendant la nuit ?

Mirabilis — C'est tout à fait ça. On a deux grands types de sommeil : le **sommeil lent**, pendant lequel le cerveau travaille moins, et le **sommeil paradoxal**, pendant lequel le cerveau est très actif et fabrique beaucoup de rêves. Le sommeil paradoxal arrive presque toutes les 90 minutes au cours d'une nuit.

Suzanne sourit et dit joyeusement — On dirait que notre cerveau joue au yo-yo pendant la nuit !

— Chut, Victor s'est endormi, remarque Edgar, qui surveillait de près les ondes sur l'écran d'enregistrement.

Mirabilis, très concentrée — Regardez les enfants,

Le laboratoire du sommeil

HYPNOGRAMME EN+

On représente les stades de sommeil au cours d'une nuit grâce à un schéma qui s'appelle **hypnogramme (hypnos = sommeil en grec)**. Le sommeil ne ressemble pas à une ligne droite, mais à un escalier qui monte et redescend : après l'endormissement, nous glissons dans le sommeil lent. Il y a ensuite une période de sommeil paradoxal. Tout au long de la nuit, le sommeil lent et le sommeil paradoxal alternent quatre ou cinq fois, formant des cycles de sommeil.

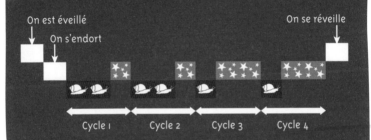

On est éveillé   On se réveille
On s'endort

Cycle 1   Cycle 2   Cycle 3   Cycle 4

 Sommeil paradoxal

Sommeil lent

Hypnogramme

on voit très bien le ralentissement de l'activité du cerveau, ce qui signifie que notre ami est...

Tous les enfants crient — ... en train de s'endormir !

Mais évidemment, le bruit des enfants réveille Victor de sa sieste !

À chacun son sommeil

Après le repas de midi, Mirabilis et Lucille proposent aux enfants une courte visite au zoo pour observer les animaux. Sur le chemin, la petite Elsa, très excitée à l'idée de voir des animaux, prend la main de Mirabilis et lui demande — Les animaux dorment-ils comme nous ?

Mirabilis — Les animaux ont aussi besoin, de temps en temps, de prendre un peu de repos.

Philomène, qui aime les animaux — Mon hamster, il est réveillé pendant la nuit. Pourquoi ?

C'est Lucille, la spécialiste du sommeil chez les animaux, qui lui répond — Presque tous les animaux dorment, certains plutôt la nuit et d'autres plutôt le jour. Les animaux qui chassent, comme les félins (par exemple les tigres, les lions), dorment d'un sommeil bien profond. Mais les plus petits animaux, eux, ont un sommeil plus léger, car ils doivent toujours être sur leurs gardes pour ne pas se faire manger !

Olivier — Alors les hommes dorment beaucoup car ils sont bien protégés dans leurs maisons ?

Lucille — Nous dormons en moyenne de sept à huit heures par nuit, mais il y a de plus gros dormeurs que nous, comme la chauve-souris qui peut passer près de vingt heures de sa journée endormie ! C'est beaucoup plus que les vaches qui, elles, ne dorment que quatre heures par jour.

Olivier, en rigolant — C'est parce que les vaches dans les champs aiment regarder passer les trains plutôt que de dormir !

Lucille — En fait, les vaches doivent manger beaucoup d'herbe pour se nourrir suffisamment et ça leur prend beaucoup de temps pour la mâcher. Alors elles n'ont presque plus de temps pour dormir.

Pour Vincent, ce n'est toujours pas clair — Alors il faut combien d'heures de sommeil par nuit ?

Mirabilis reprend la parole, tenant toujours la petite main d'Elsa — Certaines personnes ont besoin de dix heures de sommeil pour être en forme pendant la journée, d'autres n'ont besoin que de six heures. Ces différences dans nos besoins de sommeil sont inscrites dans nos **gènes**, mais dépendent aussi de nos habitudes de vie. Ce qui est sûr, c'est que si on ne dort pas suffisamment, alors on ne se sentira pas en forme dans la journée.

RRRR

ZZZZ

Cela étant dit, les petits écoliers et leurs guides, Mirabilis et Lucille, commencent leur visite du zoo par le bassin des dauphins. Les enfants sont tout contents — Qu'est-ce qu'ils sont drôles, ces dauphins !

Suzanne, intriguée — Moi, je ne comprends pas comment les dauphins peuvent dormir sous l'eau alors qu'ils doivent respirer en dehors de l'eau.

Lucille essaie de répondre clairement — Est-ce que vous savez que le cerveau est formé par deux parties qu'on appelle des **hémisphères** ? Comme une noix ou une pomme qu'on couperait en deux, on a une partie gauche et une partie droite. Plutôt que de dormir de tout le cerveau à la fois, le dauphin dort d'un hémisphère à la fois ! Lorsqu'un hémisphère du

DÉF. HÉMISPHÈRE

Le cerveau a deux hémisphères, ce qui signifie deux moitiés (« hémi ») de boule (« sphère »). Notre cerveau est donc divisé en un hémisphère gauche et un hémisphère droit. Chacun d'eux est spécialisé pour certaines choses. Par exemple, quand on bouge le bras ou la jambe gauche, c'est la partie de notre cerveau à droite, ou l'hémisphère droit, qui s'active ; si on bouge le bras ou la jambe droite, c'est l'hémisphère gauche qui s'en occupe. Quand on parle, c'est plutôt l'hémisphère gauche et quand on dessine, c'est plutôt l'hémisphère droit.

RRR

cerveau est endormi, l'autre reste éveillé et permet au dauphin de venir chercher de l'air à la surface de l'eau pour prendre de l'oxygène.

Les six amis sont émerveillés — Étudier le sommeil, c'est fantastique !

Après avoir observé d'autres animaux au zoo, ils retournent tous vers le laboratoire. Une fois que ce petit monde est bien installé pour prendre un goûter, la professeure Mirabilis, toujours cachée derrière ses lunettes scintillantes, demande aux enfants — Pensez-vous qu'un bébé dorme comme nous ?

Les trois cousines — Oh ! noooon ! Les bébés dorment beaucoup plus que nous !

Mirabilis — Bien observé ! Un bébé passe presque tout son temps à dormir. La moitié de son sommeil est un sommeil « agité » (c'est celui-ci qui va devenir le sommeil paradoxal) et l'autre moitié, c'est du sommeil lent.

Vincent, l'observateur — Mais après, les petits enfants font encore des siestes, non ?

Mirabilis, dont les lunettes menacent dangereusement de tomber dans sa tasse de thé — Après huit mois, le bébé commence à dormir de plus en plus comme les grands, mais les enfants font des siestes jusqu'à environ six ans.

Olivier, taquin — Comme les petites cousines...

Les cousines — Mais nous, on n'est pas fatiguées comme toi après les repas !

Mirabilis continue son explication sans faire attention à ces chamailleries — C'est seulement à la fin de l'adolescence que le sommeil est comme celui des adultes.

Vincent et Olivier, ensemble — Est-ce que ça change quand on est vieux comme notre grand-père ?

Mirabilis, rehaussant enfin ses lunettes-papillon — Plus on est âgé, moins on dort et plus le sommeil est léger.

Victor, pensant à haute voix — Hum, c'est donc pour ça que mon grand-père se réveille si tôt le matin...

Mais il est déjà l'heure pour les enfants de retourner chez eux, car le jour est en train de tomber, et leurs paupières aussi !

Pourquoi c'est tellement important d'avoir un bon sommeil ?

C'est le troisième et dernier jour au laboratoire du sommeil pour les enfants. Vincent et Olivier ont décidé d'emmener leur grand-père avec eux. Ce dernier est très sympa et même à son âge, il est encore très actif ! Mais il y a une chose qui le dérange : les ronflements pendant la nuit... de son vieux chien, le saint-bernard Max, qui fait le bruit d'un moteur de bateau ! Le grand-père a profité de l'occasion pour enregistrer Max pendant la nuit.

Suzanne, écoutant l'enregistrement des ronflements de Max — Wow, c'est trop fort ! Pourquoi est-ce que Max ronfle ?

Mirabilis — Les ronflements pendant la nuit sont des bruits de vibration dus au passage de l'air qu'on respire dans le **pharynx**. Normalement, la respiration ne fait pas de bruit, mais si le pharynx est rétréci, ça siffle...

Olivier, l'interrompant — ... comme un trombone !

Et le voilà à faire de drôles de bruits de ronflements qui font rire les enfants. Edgar, le technicien, ne peut s'empêcher de rire lui aussi.

Victor, qui aimerait bien devenir médecin — Est-ce que le ronflement, c'est une maladie ?

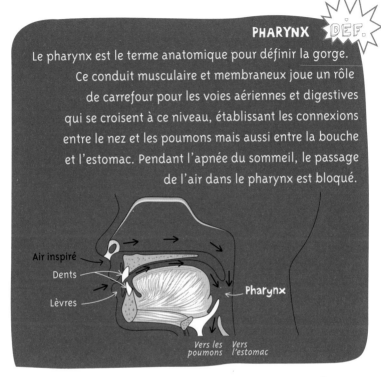

PHARYNX DÉF.

Le pharynx est le terme anatomique pour définir la gorge. Ce conduit musculaire et membraneux joue un rôle de carrefour pour les voies aériennes et digestives qui se croisent à ce niveau, établissant les connexions entre le nez et les poumons mais aussi entre la bouche et l'estomac. Pendant l'apnée du sommeil, le passage de l'air dans le pharynx est bloqué.

Air inspiré
Dents
Lèvres
Pharynx
Vers les poumons
Vers l'estomac

Mirabilis — Si le dormeur ronfle et s'arrête parfois de respirer, comme s'il retenait sa respiration pendant quelques secondes, alors c'est un problème médical. Il faut prendre un rendez-vous au laboratoire du sommeil. Il y a des gens qui ronflent seulement quand ils dorment sur le dos. Alors, la solution est d'attacher une balle de tennis à l'arrière de leur pyjama pour les empêcher de dormir sur le dos.

DÉF. **Apnée du sommeil**

Les médecins appellent les arrêts de respiration pendant le sommeil des **apnées** du sommeil. C'est un problème médical. « Apnée » signifie « arrêt temporaire de la respiration », comme lorsqu'on plonge sous l'eau en retenant sa respiration. Si on a des apnées du sommeil, on est très fatigué pendant la journée, on a des « coups de barre » et on s'endort facilement, ce qui peut être dangereux pour certaines activités, comme faire du vélo ou conduire une voiture.

Les enfants, en riant — Alors, il faut mettre un pyjama à Max ce soir et lui accrocher une balle de ping-pong sur le dos ?

Tout le labo, y compris Mirabilis, éclate de rire. Les lunettes de la professeure tombent juste dans les mains de Suzanne qui était à côté d'elle ! Suzanne en profite pour les essayer — Oh là là, je n'y vois rien !

Mirabilis, d'un air mystérieux — C'est normal, ce sont des lunettes spéciales qui permettent de voir aussi bien le jour que la nuit.

Les enfants, émerveillés — Wow ! On se disait bien que ces lunettes étaient incroyables !

Vincent ose alors raconter une drôle de chose qui lui est arrivée deux ou trois fois — Moi, quand j'étais plus petit, même si je n'avais pas de lunettes pour voir dans le noir, on m'a dit que j'allais parfois dans la cuisine chercher des gâteaux pendant que j'étais en train de dormir. Mais je ne m'en souvenais jamais, car j'avais l'impression d'avoir bien dormi !

Les autres enfants, étonnés — Incroyable ! Pendant que tu dormais ?

Mirabilis prend un air rassurant —Ce que tu décris, Vincent, c'est ce qu'on appelle le « **somnambulisme** ». Ça arrive le plus souvent quand on est enfant. Dans le sommeil, on se lève et on se déplace dans la maison, même dans le noir : on a les yeux grands ouverts, mais on ne voit rien et on ne se rend compte de rien. En fait, quand on est somnambule, c'est de l'éveil qui est un peu mélangé avec du sommeil lent profond.

Philomène —Oh ! ça fait peur ! C'est comme un **cauchemar** !

Victor, toujours logique — Mais les cauchemars, c'est pas vrai ! Et on ne mange pas de gâteaux dans les cauchemars !

Mirabilis, en nettoyant rapidement ses lunettes —Oui, les cauchemars sont des mauvais rêves qui nous font tellement peur qu'on se réveille.

Olivier, sérieux, cette fois-ci — Moi, c'est l'inverse : je ne me réveille pas pendant la nuit, mais parfois, je n'arrive pas à m'endormir et c'est très embêtant,

car je dois compter beaucoup de moutons pour m'endormir...

Mirabilis — Ça s'appelle une « **insomnie** ». Ça peut arriver pendant une ou quelques nuits, à cause d'un souci ou parce qu'on a mangé trop de chocolat le soir avant d'aller au lit. Si on n'a pas une bonne **hygiène de sommeil**, on peut avoir des insomnies.

Philomène fronce les sourcils — Et quand je me lève du pied gauche, c'est aussi parce que je n'ai pas bien dormi ?

Suzanne, du tac au tac — Certainement ! Ensuite, tu es de mauvaise humeur... parfois toute la journée !

Elsa secoue la main de la professeure avec l'intention de lui demander ce que ça veut dire exactement « se lever du pied gauche », mais elle a soudain une autre question — Qu'est-ce que ça donne si on ne dort pas ?

Hygiène de sommeil **DÉF.**

Il faut soigner notre sommeil comme nous soignons nos dents en les brossant bien matin et soir, par exemple. Se coucher suffisamment tôt et à la même heure chaque soir, c'est important pour être en forme le lendemain.

La professeure retient ses lunettes de sa main libre — C'est mauvais pour toutes les parties de notre corps, comme la peau, le cœur et surtout le cerveau, car le sommeil est important pour la mémoire, la concentration et même l'humeur. En plus, si on ne dort pas, notre corps se défend moins bien contre les maladies.

Philomène, qui aime beaucoup dormir — Si j'apprends de nouveaux mots en anglais, je m'en souviens mieux le lendemain si j'ai bien dormi. Est-ce que mon cerveau s'exerce pendant le sommeil ?

Mirabilis, arborant un large sourire — Ça, c'est une question importante. Nous, les scientifiques, avons créé des machines qui permettent de voir l'activité dans le cerveau de la personne qui dort. Nous avons découvert que le cerveau « rejoue » parfois des bouts de ce qu'on a fait pendant la journée. Notre cerveau s'exerce donc vraiment pendant la nuit...

La petite Elsa a soudain une idée géniale — Ça veut dire qu'on apprend pendant qu'on rêve... C'est incroyable ! Le sommeil sert vraiment à plein de choses !

Mirabilis plisse les yeux, comme si les ailes de ses lunettes-papillon allaient de nouveau prendre leur envol — Voilà une bonne conclusion ! Qui voudrait résumer ce que vous avez appris pendant cette visite au laboratoire du sommeil ?

Victor, toujours le plus prompt — Si on dort bien, on est moins fatigué la journée...

Elsa — ... et on grandit mieux !

Olivier, faisant des gestes de combat — Le sommeil aide notre corps à combattre les maladies.

Suzanne — Si on a bien dormi, on est plus concentré et de meilleure humeur la journée !

Philomène, toute fière — On apprend mieux de nouvelles choses, comme le vocabulaire anglais.

Mirabilis, rajustant à nouveau ses lunettes magiques
— C'est tout ?
Vincent — Le sommeil sert à manger des gâteaux dans nos rêves…

Les énormes lunettes-papillon prennent les couleurs de l'arc-en-ciel… derrière elles, la professeure Mirabilis est très contente.

Les enfants rentrent bientôt à la maison, accompagnés par leurs parents. À la tombée de la nuit, le sommeil arrive comme d'habitude et chacun de leur côté, les six enfants s'endorment. Mais voilà que la professeure Mirabilis leur apparaît en rêve et offre à chacun une paire de lunettes-papillon pour mieux voir dans leurs songes…

LE LABORATOIRE
du SOMMEIL

Quelques infos en comp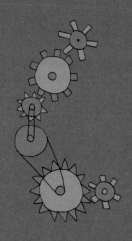te

À TOI DE JOUER

Est-ce que tu as tout retenu sur le sommeil ?
compléter les mots croisés.

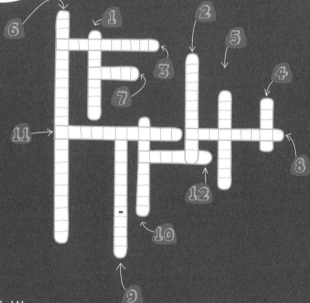

Définitions :

1. L'alternance veille/sommeil suit un rythme...
2. Le schéma qui représente les stades du sommeil au long d'une nuit s'appelle...
3. La substance indispensable pour grandir que notre cerveau fabrique pendant la nuit s'appelle l'hormone de...
4. Contraire du sommeil.
5. Une personne qui se déplace en dormant.
6. Appareil permettant d'enregistrer l'activité électrique du cerveau.
7. Arrêt de respiration pendant le sommeil.

8. Fleur qui ne s'ouvre qu'en fin d'après-midi et qui reste ouverte toute la soirée.
9. Stade du sommeil caractérisé par des ondes électriques de grande amplitude et très lentes.
10. Rêve effrayant et angoissant qui survient pendant la phase du sommeil paradoxal.
11. Processus régulateur du sommeil décrit comme un sablier plein d'éveil qui se vide pendant la journée.
12. Le sommeil lent et le sommeil paradoxal alternent pendant la nuit en formant des...

réponses p.46

Matériel

✂ ✏

une bonne dose d'attention

Découpez les trois petites fiches de la p. 46 (A, B et C) avec l'aide de vos parents ou de l'instituteur. Mettez-les dans un sac fermé. L'un d'entre vous doit tirer une fiche qu'il ne montrera pas aux autres. Ensuite, il (ou elle) doit mimer l'activité du cerveau en tapant sur la table (ou sur des tambours) plus ou moins fortement et plus ou moins rapidement selon les indications sur la fiche. Par exemple : si l'activité du cerveau est lente, on doit taper lentement sur la table (ou sur les tambours). Le joueur doit mimer ensuite l'activité des yeux, puis celle des muscles. Les autres doivent écouter attentivement et ils doivent deviner s'il s'agit du sommeil lent, du sommeil paradoxal ou de l'éveil. On remet la fiche dans le sac et celui ou celle qui a deviné en premier a le droit de tirer une autre fiche du sac et de faire la même chose que pour la première fiche. Et ainsi de suite. À la fin du jeu, tout le monde sera un expert pour reconnaître les stades de sommeil.

A

très rapide	très fort	fort
rapide	fort	léger
lent	léger	rien

éveil

B

très rapide	très fort	fort
rapide	fort	léger
lent	léger	rien

sommeil lent

C

très rapide	très fort	fort
rapide	fort	léger
lent	léger	rien

sommeil paradoxal

réponses mots croisés p.44

1. circadien
2. hypnogramme
3. croissance
4. éveil
5. somnambule
6. électroencéphalographe
7. apnée
8. Mirabilis
9. sommeil lent
10. cauchemar
11. homéostasie
12. cycles

LA GUITARE-OREILLE

L'**électroencéphalographe** permet de capter les ondes électriques du cerveau. On place des électrodes sur la tête de quelqu'un et les ondes électriques voyagent depuis l'électrode jusqu'à l'électroencéphalographe grâce à un fil. Cette expérience montre comment les ondes peuvent se transmettre le long d'une ficelle.

Matériel

1 clou
2 gobelets de yaourt vides
Des ciseaux – 5 m de ficelle
2 trombones

1 Fais un trou au centre du fond de chacun des deux gobelets.

2 Passe le bout de la ficelle dans le trou. Prends la ficelle depuis l'intérieur et fixe le bout de celle-ci à un des trombones.

3 Recommence l'étape 2 pour l'autre gobelet avec l'autre bout de la ficelle.

Maintenant, tu as une oreille-guitare ! Place un des gobelets sur ton oreille et donne l'autre à ton ami. Demande à ton ami d'aller loin, jusqu'à ce que la ficelle soit tendue, et demande-lui de mettre l'autre gobelet sur son oreille. Si tu joues avec ton doigt comme sur une corde de guitare, entends-tu le son ? Et ton ami ? Le son est-il le même quand c'est toi qui pince la corde et quand c'est ton ami ?

comment fonctionne la guitare-oreille ?

Quand tu touches la corde de la guitare-oreille, la corde commence à vibrer. La vibration de la corde fait vibrer le fond des gobelets mais aussi l'air à l'intérieur : cela fait un son que l'oreille peut entendre. Quand on parle dans le gobelet, les ondes sonores font bouger les molécules d'air dans le gobelet et cela fait vibrer la corde puis l'air dans l'autre gobelet. C'est comme cela que des ondes sonores sont transmises par une ficelle. Les ondes électriques du cerveau se transmettent d'abord à l'électrode (qui est comme le gobelet) et ensuite le long d'un fil métallique dans lequel les électrons voyagent.

QU'UN LABORATOIRE DU SOMMEIL ?

Les laboratoires du sommeil existent en vrai : ce sont des centres médicaux entièrement dédiés au diagnostic et au traitement des personnes qui souffrent de troubles du sommeil (comme les insomnies, les apnées du sommeil). Il y en a dans toute la France et partout dans le monde. En cas de problèmes de sommeil, il faut consulter d'abord le médecin de famille, qui va proposer une consultation dans le centre du sommeil le plus proche. De plus, la plupart des hôpitaux proposent aussi

une consultation sommeil dans les services de neurologie. Dans un laboratoire du sommeil, c'est une équipe qui travaille : médecins, assistants, techniciens, infirmiers, aides-soignants, etc. Ils sont tous spécialisés pour analyser le sommeil.

Grâce à l'enregistrement de l'activité cérébrale et d'autres paramètres physiologiques au cours de la nuit de sommeil, ils peuvent détecter si le patient a des troubles du sommeil.

LEXIQUE

Cauchemar

Rêve effrayant et angoissant qui survient pendant la phase de sommeil paradoxal et qui réveille souvent la personne.

Électrodes

Petits capteurs métalliques qui permettent d'enregistrer l'activité électrique émise par certains organes comme le cerveau et le cœur.

Électroencéphalographe

Appareil permettant de...

... détecter l'activité électrique du cerveau résultant du fonctionnement des neurones. On enregistre le signal en plaçant des électrodes sur la tête du sujet.

Gènes

Un « morceau » du code biologique qui est présent dans les noyaux de toutes les cellules. Les gènes sont porteurs d'informations importantes pour les caractéristiques d'un individu (petit ou grand dormeur par exemple).

Hormone

Molécule produite par une glande ou un tissu et qui est généralement transportée par le sang pour agir sur un organe ou sur un autre tissu situés à distance. Les hormones sont de véritables « messagers » qui coordonnent l'activité des cellules du corps.

Insomnie

Trouble du sommeil, caractérisé par une diminution de la durée habituelle du sommeil avec retentissement sur la qualité du sommeil de la nuit et sur la qualité de l'éveil du lendemain.

Mirabilis

Nom latin (« Mirabilis jalapa ») de la fleur appelée « Belle de nuit », aux couleurs éclatantes, qui ne s'ouvre qu'en fin d'après-midi et qui embaume toute la soirée.

Neurones

Cellules principales du système nerveux (environ cent milliards de neurones dans le cerveau) qui nous permettent de faire des choses très importantes comme : voir des images, entendre des sons, parler, lire et écrire, avoir de la mémoire, ressentir des émotions, raisonner, penser et aussi bouger notre corps.

Somnambulisme

Activité motrice (tout particulièrement la marche) pendant le sommeil lent. Il ne faut pas réveiller un somnambule, mais il faut lui éviter tout danger (ne pas laisser les fenêtres ou les portes ouvertes, mettre son matelas à même le sol pour éviter qu'il ne tombe du lit). Si les épisodes sont très fréquents ou potentiellement dangereux, il faut consulter un médecin.

Sommeil lent

Stade du sommeil, plutôt en début de la nuit, caractérisé en termes d'activité électrique du cerveau par des ondes de grande amplitude et très lentes.

Stades du sommeil

Le sommeil n'est pas uniforme tout au long d'une nuit, car il y en a plusieurs sortes (phases ou stades) survenant dans un ordre caractéristique.

Sommeil paradoxal

Stade du sommeil, plutôt en fin de la nuit, caractérisé en termes d'activité électrique du cerveau par des ondes rapides et de faible amplitude assez proches de celles observées à l'éveil.

RÉFÉRENCES

Sur Internet

- http://lecerveau.mcgill.ca
- http://urai195-6.univ-lyon1.fr
- http://www.cours.fse.ulaval.ca/ten-20727/sitesdescours/000_12automne2003/20727/sommeil
- http://www.reseau-morphee.org
- http://www.sommeil.org

Pour choisir des livres destinés aux enfants :
- http://www.sommeil.org/enfants/biblio.html

Pour choisir des livres destinés aux adultes :
- http://eric.mullens.free.fr

Le coin DES grands

Quelques pistes pour aller plus loin,
en classe ou à la maison.

Lien avec les programmes 2008
sciences expérimentales et technologie

Le fonctionnement du corps humain et la santé

Hygiène et santé : actions bénéfiques ou nocives
de nos comportements, notamment dans le domaine
du sport, de l'alimentation, du sommeil.

Écrire et dessiner ses rêves

Les enfants peuvent essayer de dessiner leurs rêves en reproduisant les couleurs et les impressions ressenties. Pour retranscrire ses rêves, on peut aussi utiliser l'écriture automatique inventée par les surréalistes : il suffit de laisser son esprit écrire les mots que l'on souhaite sans se contrôler.

Pour tenter de dessiner ses rêves, on peut aussi utiliser la technique du «cadavre exquis» («jeu qui consiste à faire composer une phrase, ou un dessin, par plusieurs personnes sans qu'aucune d'elles puisse tenir compte de la collaboration ou des collaborations précédentes» *Dictionnaire abrégé du surréalisme*) : comme dans nos songes, les scènes se succèdent sans lien apparent et font sens selon une nouvelle logique.

La place du sommeil dans les contes

Travailler sur la symbolique du sommeil (et des rêves) dans certains contes connus de nous tous : *La Belle au bois dormant*, *Boucle d'or*...

La Journée Nationale du Sommeil

Tous les ans depuis l'an 2000, se tient la Journée Nationale du Sommeil. Plusieurs centres ouvrent alors leurs portes pour nous sensibiliser au rôle déterminant que joue le sommeil dans notre existence. Plus d'informations sur cette manifestation, et sur le sommeil en général, sur : http://www.institut-sommeil-vigilance.org/

Le mot d'Irina

J'ai découvert *La Belle au bois dormant* quand j'avais sept ans, c'est un conte qui reste mystérieux et fascinant à tout âge. Plusieurs interprétations de ce sommeil séculaire sont possibles. Quand j'étais enfant, c'est le réveil enchanté à la vie et au monde alentour de la Belle qui me surprenait à chaque fois ; adulte et chercheur sur le sommeil, c'est le motif du sommeil en lui-même qui m'interpelle. *La Belle au bois dormant* pose des questions sur le rôle du sommeil dans la conservation et l'évolution, et on peut même aller encore plus loin en s'interrogeant sur la recherche de l'immortalité et du sens de l'existence.

Notes personnelles

....
....
....
....
....
....

INDEX

SOMMAIRE

DÉJÀ PARUS

n° éditeur : 090414-01
dépôt légal : Mai 2009
Imprimé en France